2ND EDITION

Celebration SERIES

PIANO REPERTOIRE ALBUM 10

ISBN 0-88797-435-X

FREDERICK
HARRIS
MUSIC

Official Examination Repertoire of The Royal Conservatory of Music - Grade 10
Répertoire officiel des examens du Royal Conservatory of Music - Niveau 10

This updated and improved *2nd edition* of the *Celebration Series* has been created in response to the great popularity of the original edition. The *Celebration Series, 2nd edition* is designed to serve the needs of all teachers and students, as well as pianists who play solely for their own enjoyment. Once a student has completed an entry level method or course, he or she will be ready for the Introductory Album of the *Celebration Series, 2nd edition.*

The albums in the series are graded from early intermediate (Albums 1 to 3) through intermediate (Albums 4 to 8) to advanced and concert repertoire (Albums 9 and 10). Each volume of repertoire comprises a carefully selected and edited grouping of pieces from the Baroque, Classical, Romantic, and 20th-century style periods. Studies Albums present compositions especially suited for building technique as well as musicality. Student Guides and recordings are available to assist in the study and enjoyment of the music.

A Note on Editing

Most Baroque and early Classical composers wrote few dynamics, articulation, or other performance indications in their scores. Interpretation was left up to the performer, with the expectation that the performance practice was understood. In this edition, therefore, most of the dynamics and tempo indications in the Baroque and early Classical pieces have been added by the editors. These editorial markings, including fingering and the execution of ornaments, are intended to be helpful rather than definitive.

By the late 18th century, composers for the piano included more performance indications in their scores, a trend which became standard in the 19th century. In late Classical and Romantic compositions, as well as in the music of our own time, therefore, the performer is able to rely on the composers' own markings to a greater extent.

A Note on Performance Practice

The keyboard instruments of the 17th and early to mid-18th centuries lacked the sustaining power of the modern piano. Consequently, the usual keyboard touch was detached rather than legato. The pianist should assume that a lightly articulated touch is appropriate for Baroque and early Classical music, unless a different approach is indicated either in the music or in a footnote. Slurs are used to indicate legato notes or short phrases.

Le grande popularité de l'édition originale du "Celebration Series" est le point de départ de cette 2ème édition mise à jour et améliorée. Le "Celebration Series" 2ème édition à été conçu non seulement pour les professeurs et leurs élèves mais aussi ceux qui jouent du piano pour leur propre plaisir. Dès qu'un élève a terminé un cours ou une méthode de base, il est prêt pour l'album d'introduction du "Celebration Series" 2ème édition.

Les albums de cette série sont gradués du niveau intermédiaire de base (albums 1 à 3) au niveau intermédiaire (albums 4 à 8) puis au niveau avancé (albums 9 et 10). Chaque album inclus un groupe de pièces de style baroque, classique, romantique et 20ème siècle, soigneusement choisies et éditées. Les albums d'études offrent des pièces spécialement choisies pour développer la technique aussi bien que la musicalité. Des guides d'étude et les enregistrements sont disponibles pour faciliter l'étude et l'appréciation des pièces.

Note au sujet de l'édition

La plupart des compositeurs baroques et classiques ne notaient ni nuances ni articulations dans leurs partitions. L'interprète était libre de jouer comme il l'entendait en basant bien sûr son interprétation sur la norme de son époque. Dans cette édition la majeure partie des nuances et articulations trouvées dans les pièces baroques et classiques ont été ajoutées par les éditeurs. Ces additions, incluant doigtés et ornementation, sont fournies à titre indicatif seulement.

A partir de la fin du 18ème siècle les compositeurs commencerent à inclure de plus en plus d'indications dans leurs partitions. L'interprète de musique de la fin du classique jusqu'à nos jours peut donc beaucoup plus faire appel aux indications du compositeur.

Note au sujet de l'exécution

Les claviers du 17ème et début du 18ème siècles n'avaient pas le ton soutenu d'un piano moderne. Conséquemment l'articulation était surtout détaché plutôt que legato. Le pianiste devrait donc approcher la musique baroque et début du classique avec une légère articulation à moins qu'une approche différente ne soit indiquée dans la partition ou par une note de l'éditeur. Le legato et de courtes phrases sont indiqués par des liaisons.

Piano Repertoire Album 10
TABLE OF CONTENTS

List A

4	Prelude and Fugue in F Major / Prélude et fugue en fa majeur, BWV 856	*Johann Sebastian Bach*
8	Prelude and Fugue in F Sharp Major / Prélude et fugue en fa dièse majeur, BWV 858	*Johann Sebastian Bach*
12	Prelude and Fugue in C Minor / Prélude et fugue en do mineur, BWV 871	*Johann Sebastian Bach*

List B

16	Sonata in D Major / Sonate en ré majeur, Hob. XVI:51	*Franz Joseph Haydn*
25	Sonata in F Major / Sonate en fa majeur, KV 280 (189e)	*Wolfgang Amadeus Mozart*
38	Sonata in C Minor / Sonate en do mineur, Op. 10, No. 1	*Ludwig van Beethoven*

List C

53	The Prophet Bird / L'oiseau-prophète, Op. 82, No. 7	*Robert Schumann*
56	Moment musical, Op. 94, No. 4	*Franz Schubert*
60	Prélude, Op. 45	*Frédéric Chopin*
64	Mazurka, Op. 63, No. 1	*Frédéric Chopin*
67	Song without Words / Chant sans paroles, Op. 67, No. 4 (Spinning Song / Chanson du rouet)	*Felix Mendelssohn*
72	Valse oubliée, No. 1	*Franz Liszt*
78	Intermezzo, Op. 116, No. 6	*Johannes Brahms*
80	Intermezzo, Op. 76, No. 6	*Johannes Brahms*

List D

83	Élégie / Elegy, Op. 3, No. 1	*Sergei Rachmaninoff*
88	Prélude, Op. 11, No. 14	*Alexander Scriabin*
90	Prélude, Book One, No. 1 / Premier cahier, n° 1	*Claude Debussy*
92	Prélude, Book Two, No. 5 / Deuxième cahier, n° 5	*Claude Debussy*
96	Prélude	*Maurice Ravel*
101	Danse du meunier / The Miller's Dance	*Manuel de Falla*

List E

104	Prelude / Prélude, Op. 38, No. 15	*Dmitri Kabalevsky*
106	Prelude / Prélude, Op. 38, No. 20	*Dmitri Kabalevsky*
108	Hommage	*Maurice Dela*
114	Bagatelle, Op. 6, No. 11	*Béla Bartók*
116	Bagatelle, Op. 6, No. 12	*Béla Bartók*
119	Shadows / Ombres	*Barbara Pentland*
122	Six Variations on "Land of the Silver Birch"	*Pierre Gallant*
128	Étude de sonorité, n° 1 / Study in Sonority, No. 1	*François Morel*
132	Prélude, n° 7 / Prelude, No. 7 (Plainte calme / Gentle Sorrow)	*Olivier Messiaen*
134	Sonatina / Sonatine	*Robert Fleming*

List A comprises a selection of pieces composed during the Baroque period (ca 1600 - ca 1750). List B comprises a selection of pieces composed during the Classical period (ca 1750 - ca 1820). List C comprises a selection of pieces composed during the Romantic era (ca 1820 - ca 1910). List D comprises a selection of pieces composed during the first half of the 20th century, while List E explores more recent 20th century pieces.

La liste A contient une série de pièces composées durant la période baroque (*ca* 1600 à 1750). La liste B contient une série de pièces composées durant la période classique (*ca* 1750 à 1820). La liste C contient une série de pièces composées durant la période romantique (*ca* 1820 à 1910). La liste D contient une série de pièces composées au début du 20ème siècle et la liste E explore des pièces encore plus récentes.

PRELUDE AND FUGUE IN F MAJOR / PRÉLUDE ET FUGUE EN FA MAJEUR
BWV 856

List A

Johann Sebastian Bach
1685-1750

Praeludium

Begin ornaments in strict *or* free rhythm. / Commencez les ornements dans un rhythme précis *ou* libre.

(a)

(b)

Source: *Well-Tempered Clavier*, Book I, No. 11 (1722) / *Le clavier bien tempéré*, livre I, nº 11 (1722)

N.B.: The Prelude and the Fugue in F Major are to be played as *one selection* at examinations. / Le prélude et la fugue en fa majeur doivent être joués comme *un ensemble* aux examens.

5

(c) Trill may end on downbeat of m. 13. / Le trille peut finir sur le temps de la m. 13.

(d) Trill may begin like other L.H. trills, *or* from the upper auxiliary, and continue until the eighth notes. / Le trille peut commencer comme les autres trilles de la m.g., *ou* sur la note auxiliaire supérieure, et continuer jusqu'aux croches.

(e)

(f)

6

Fuga à 3

The subject may be played non-legato; *or* with the second and third notes slurred. /
Le sujet peut être joué non-legato; *ou* avec la seconde et troisième notes liées.

(a) 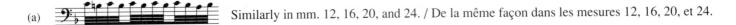 Similarly in mm. 12, 16, 20, and 24. / De la même façon dans les mesures 12, 16, 20, et 24.

(b)

Source: *Well-Tempered Clavier,* Book I, No. 11 (1722) / *Le clavier bien tempéré,* livre I, nᵒ 11 (1722)
N.B.: The Prelude and the Fugue in F Major are to be played as *one selection* at examinations. / Le prélude et la fugue en fa majeur doivent être joués comme *un ensemble* aux examens.

PRELUDE AND FUGUE IN F SHARP MAJOR /
PRÉLUDE ET FUGUE EN FA DIÈSE MAJEUR
BWV 858

List A

Johann Sebastian Bach
1685-1750

Begin ornament in strict *or* free rhythm. / *Commencez le ornement dans un rhythme précis* ou *libre.*

Source: *Well-Tempered Clavier*, Book I, No. 13 (1722) / *Le clavier bien tempéré*, livre I, nᵒ 13 (1722)

N.B.: The Prelude and the Fugue in F sharp Major are to be played as *one selection* at examinations. / *Le prélude et la fugue en fa dièse majeur doivent être joués comme* un ensemble *aux examens.*

Fuga à 3

The subject may be played non-legato, except for slurs on the third and fourth beats of the first measure: / Le sujet peut être joué non-legato sauf pour les troisième et quatrième temps de la première mesure qui doivent être liés:

Source: *Well-Tempered Clavier,* Book I, No. 13 (1722) / *Le clavier bien tempéré,* livre I, nᵒ 13 (1722)

N.B.: The Prelude and the Fugue in F sharp Major are to be played as *one selection* at examinations. / Le prélude et la fugue en fa dièse majeur doivent être joués comme *un ensemble* aux examens.

PRELUDE AND FUGUE IN C MINOR / PRÉLUDE ET FUGUE EN DO MINEUR
BWV 871

List A

Johann Sebastian Bach
1685-1750

Praeludium

Source: *Well-Tempered Clavier,* Book II, No. 2 (1738-1742) / *Le clavier bien tempéré,* livre II, n°2 (1738-1742)
The eighth notes may be played staccato. / Les croches peuvent être jouées staccato.
N.B.: The Prelude and the Fugue in C Minor are to be played as *one selection* at examinations. / Le prélude et la fugue en do mineur doivent être joués comme *un ensemble* aux examens.

Fuga à 4

The subject may be played *legato, or* with the following articulation: / Le sujet se jouera *legato, ou* avec l'articulation suivante:

Source: *Well-Tempered Clavier*, Book II, No. 2 (1738-1742) / *Le clavier bien tempéré*, livre II, n°2 (1738-1742)
N.B.: The Prelude and the Fugue in C Minor are to be played as *one selection* at examinations. / Le prélude et la fugue en do mineur doivent être joués comme *un ensemble* aux examens.

SONATA IN D MAJOR / SONATE EN RÉ MAJEUR

Hob. XVI:51

List B

I

Franz Joseph Haydn
1732-1809

Parentheses indicate editorial dynamics. / Les indications dynamiques placées entre parenthèses sont des ajouts d'édition.
Note: "Für Miss Therese Jansen, später verehelichte Bartoluzzi, geschreiben." (1794 - 1795) / Written for Miss Therese Jansen, who was later married to Bartoluzzi. (1794 - 1795) / Écrit pour Miss Therese Jansen, plus tard mariée à M. Bartoluzzi. (1794 - 1795)
N.B.: *Both* mouvements of the sonata must be played at examinations. / *Les deux movements* de cette sonate doivent être joués aux examens.

* Compare this notation with that found in measures 100 and 101. / Comparez cette notation avec celles des mesures 100 et 101.

18

II

FINALE

Presto ♩. = 96-108

N.B.: *Both* movements of this sonata must be played at examinations. / *Les deux mouvements* de cette sonate doivent être joués aux examens.

* Compare this with m. 106 / Comparez ceci avec la m. 106.

24

SONATA IN F MAJOR / SONATE EN FA MAJEUR

KV 280 (189e)

I

List B

Wolfgang Amadeus Mozart
1756-1791

Allegro assai ♩ = **132-138**

(a) The same in m. 84. / La même chose dans la m. 84.

N.B.: *Either* the first and second movements, *or* the second and third movements are to be played as *one selection* at examinations. / Comme choix d'examens on imposera *soit* le premier et le deuxième mouvements, *soit* le deuxième et le troisième.

*The *arpeggio* sign is missing in the autograph, and in the first edition; the same in measure 136. / Le signe pour *l'arpège* est manquant dans l'autographe, et dans la première édition; il en est de même à la mesure 136.

II

Adagio ♪ = 100-108

N.B.: *Either* the first and second movements, *or* the second and third movements are to be played as *one selection* at examinations. /
Comme choix d'examens on imposera *soit* le premier et le deuxième mouvements, *soit* le deuxième et le troisième.

(a)

III

Presto ♩. = 84-96

N.B.: *Either* the first and second movements, *or* the second and third movements are to be played as *one selection* at examinations. / Comme choix d'examens on imposera *soit* le premier et le deuxième mouvements, *soit* le deuxième et le troisième.

36

SONATA IN C MINOR / SONATE EN DO MINEUR
Op. 10, No. 1
I

List B

Allegro molto e con brio ♩. = 76-88

Ludwig van Beethoven
1770-1827

Note: This Sonata was composed between 1796 and 1798, and dedicated to Countess Anna Margarete von Browne. / Cette sonate fût composée entre 1796 et 1798, et dédiée à la Comtesse Anna Margarete von Browne.

N.B.: *Either* the first and second movements, *or* the second and third movements are to be played as *one selection* at examinations. / Comme choix d'examens on imposera *soit* le premier et le deuxième mouvements, *soit* le deuxième et le troisième.

* In the original edition: (probably typographic error) /
Dans l'édition originale: (prob. faute de gravure)

II

N.B.: *Either* the first and second movements, *or* the second and third movements are to be played as *one selection* at examinations. /
Comme choix d'examens on imposera *soit* le premier et le deuxième mouvements, *soit* le deuxième et le troisième.

III

FINALE

N.B.: *Either* the first and second movements, *or* the second and third movements are to be played as *one selection* at examinations. / Comme choix d'examens on imposera *soit* le premier et le deuxième mouvements, *soit* le deuxième et le troisième.

* Compare this with m. 79. / Comparez ceci avec la m. 79.

THE PROPHET BIRD / L'OISEAU-PROPHÈTE*
Op. 82, No. 7

List C

Langsam, sehr zart † ♩ = 63-66

Robert Schumann
1810–1856

* Original title / Titre original: "Vogel als Prophet"
† Slowly, very delicately / Lent, très délicatement
Source: *Waldscenen / Forest Scenes,* Op. 82 (1850) / *Scènes de forêt,* op. 82 (1850)

54

* Somewhat slower / Un peu plus lent

MOMENT MUSICAL
Op. 94, No. 4

List C

Franz Schubert
1797-1828

Parentheses indicate editorial suggestions. / Les parenthèses sont des ajouts d'édition.

* The original edition has a pedal marking on the second beat of the measure. Quite possibly, the engraver misplaced this marking, putting it on the second rather than the first beat. / L'indication de pédale, dans l'édition originale, apparaît au second temps de cette mesure. Il est très possible que le graveur ait déplacé cette indication et l'ait mis sur le second plutôt que le premier temps.

58

* In the first edition, the slurring for this section is inconsistent. / Dans la première édition, les indications de coulé ne concordent pas.

PRÉLUDE
Op. 45

List C

Frédéric Chopin
1810-1849

MAZURKA
Op. 63, No. 1

List C

Frédéric Chopin
1810-1849

Source: *Three Mazurkas*, Op. 63 (1847) / *Trois mazurkas*, op. 63 (1847)

SONG WITHOUT WORDS / CHANT SANS PAROLES
Op. 67, No. 4
Spinning Song / Chanson du rouet

List C

Felix Mendelssohn
1809-1847

Source: *Songs without Words*, Op. 67 (Book IV) (1845) / *Chants sans paroles*, op. 67 (Livre IV) (1845)

VALSE OUBLIÉE
No. 1

List C

Allegro ♩. = 69-76

Franz Liszt
1811-1886

Source: *Trois valses oubliées* (1881, 1882, 1883)

76

INTERMEZZO
Op. 116, No. 6

List C

Johannes Brahms
1833-1897

Source: *Seven Fantasias*, Op. 116 (1891-92) / *Sept fantaisies*, op. 116 (1891-92)

INTERMEZZO
Op. 76, No. 6

List C

Johannes Brahms
1833-1897

Source: *Eight Pieces,* Op. 76 (1878) / *Huit morceaux,* op. 76 (1878)

82

ÉLÉGIE / ELEGY
Op. 3, No. 1

List D

Sergei Rachmaninoff
1873-1943

Source: *Fantasy Pieces*, Op. 3 (1892) / *Morceaux de fantaisie*, op. 3 (1892)

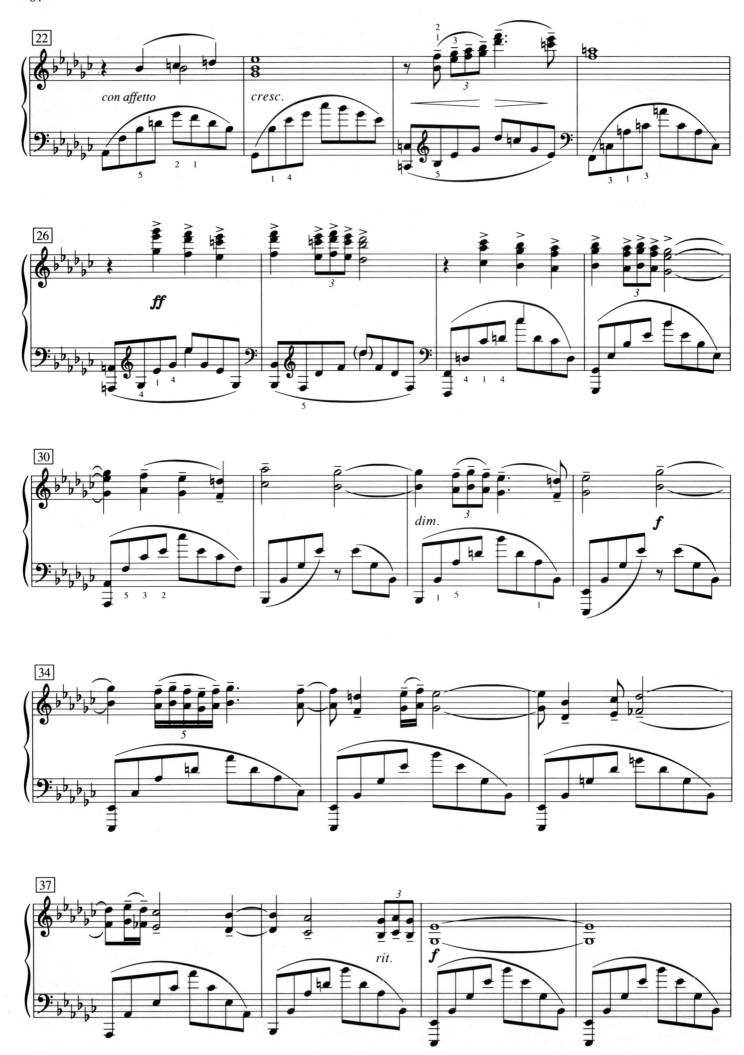

PRÉLUDE
Op. 11, No. 14

List D

Alexander Scriabin
1872-1915

Source: *Twenty-four Preludes*, Op. 11 (1895) / *Vingt-quatre préludes*, op. 11 (1895)

① In the MS /
  Dans le MS:

② In the MS and in Belyaev's edition / Dans le MS et dans l'édition Belyaev:

③ *accel.* ⎫
④ *ten.* ⎬ according to the composer's instructions. / d'après les indications du compositeur.

PRÉLUDE
Book One, No. 1 / Premier Cahier, N° 1

Claude Debussy
1862-1918

List D

Source: *Twelve Preludes*, Book 1 (1910) / *Douze préludes*, Cahier 1 (1910)

(. . . Danseuse de Delphes.)

PRÉLUDE
Book Two, No. 5 / Deuxième Cahier, N°5

List D

Claude Debussy
1862-1918

Calme – Doucement expressif ♩ = 60-66

con pedale

Source: *Twelve Preludes*, Book II (1910-1913) / *Douze préludes*, Cahier II (1910-1913)

(. . . Bruyères.)

PRÉLUDE

List D

Maurice Ravel
1875-1937

Source: *"Le Tombeau de Couperin"* (1917)

N.B.: The small notes should be played on the beat. / Les petites notes doivent être frappées sur le temps.

DANSE DU MEUNIER / THE MILLER'S DANCE*

Spanish

List D

Manuel de Falla
1876-1946

* This is a *"Farruca"* − a Spanish Flamenco dance. / Ceci est une *"Farruca"* − une danse de Flamenco espagnol.
Source: *"The Three-Cornered Hat"* / *"Le Tricorne"* (Ballet)

* Depress the damper pedal and *una corda* pedal simultaneously. / Abaissez la pédale douce et la pédale *una corda* simultanément.

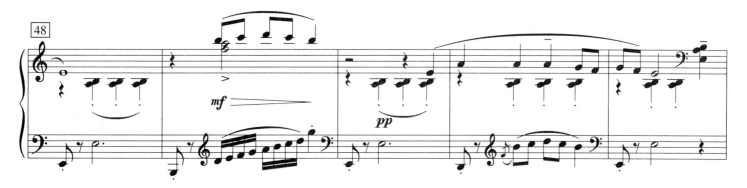

PRÉLUDE
Op. 38, No. 15

List E

Dmitri Kabalevsky
1904-1987

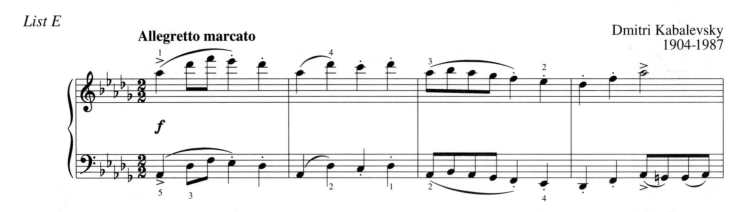

Source: *24 Préludes,* op. 38

N.B.: *Both* Kabalevsky preludes are to be played as *one selection* at examinations. / *Les deux* préludes de Kabalevsky doivent être joués comme *un ensemble* aux examens.

Permission to reprint granted by: G. Schirmer, Inc. (ASCAP); Boosey & Hawkes Music Publishers Limited; Internationale Musikverlag Hans Sikorski; G. Ricordi & C.; and Zenon Music Company Ltd. for their respective territories.

PRÉLUDE
Op. 38, No. 20

List E

Dmitri Kabalevsky
1904-1987

Source: *24 Préludes,* op. 38

N.B.: *Both* Kabalevsky preludes are to be played as *one selection* at examinations. / *Les deux* préludes de Kabalevsky doivent être joués comme *un ensemble* aux examens.

HOMMAGE

Maurice Dela
1919-1978

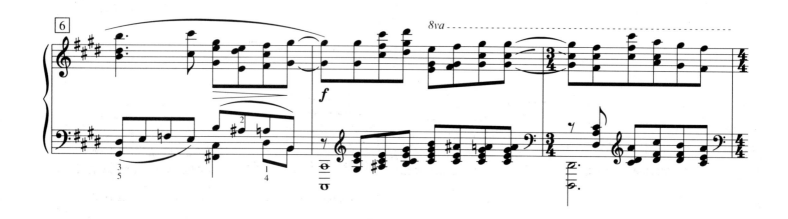

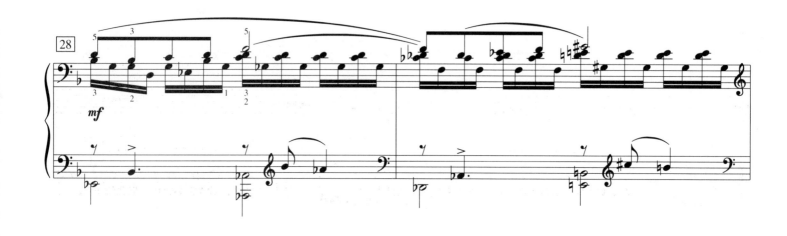

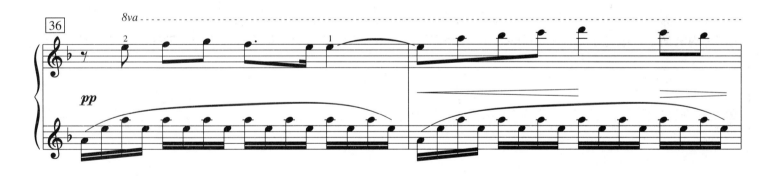

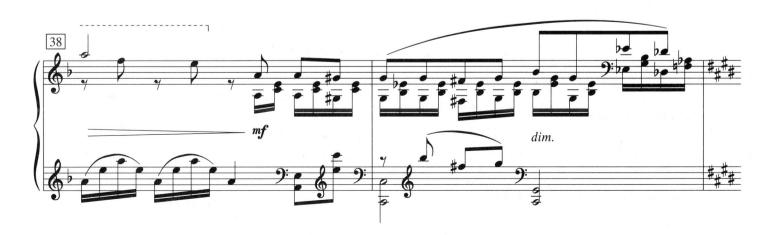

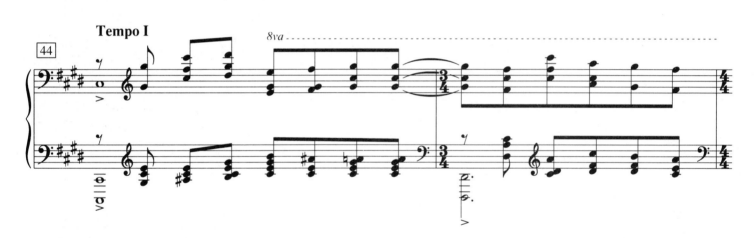

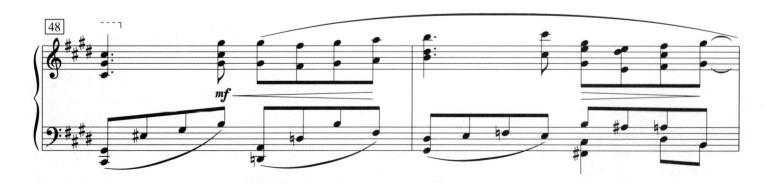

BAGATELLE
Op. 6, No. 11

List E

Béla Bartók
1881-1945

* The signs " ⸙ " and " ⸜ " indicate a 'lift' of approximately these durations. / Les signes " ⸙ " et " ⸜ " indiquent *un arrêt selon sa valeur.*

Source: *Fourteen Bagatelles* Op. 6 (1908) / *Quatorze bagatelles,* op. 6 (1908)

BAGATELLE
Op. 6, No. 12

List E

Béla Bartók
1881-1945

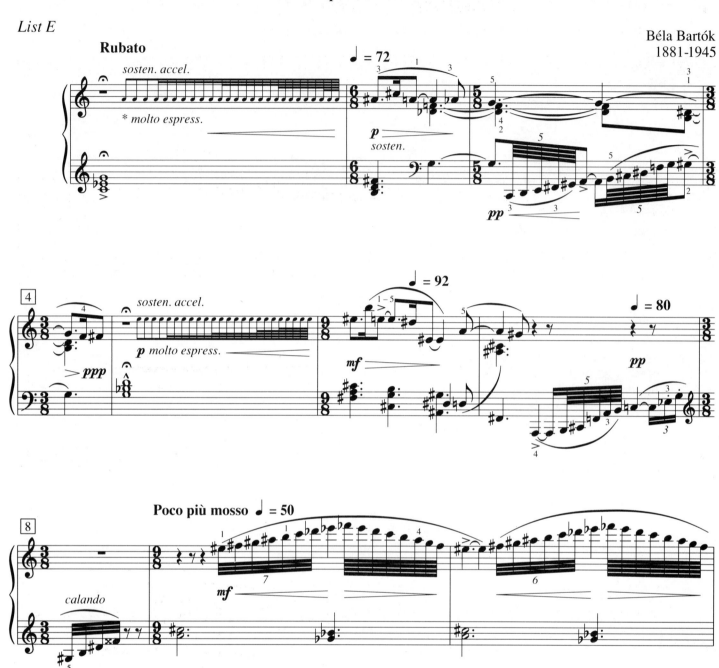

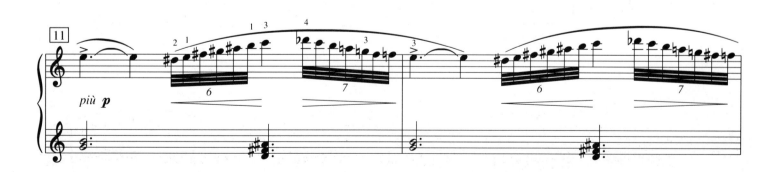

* Accelerate gradually without a fixed number of the repeated notes. Each similar passage is to be played in the same way. /
Accélérer graduellement sans compter précisément les notes répétées. Chaque passage similaire doit être joué de la même façon.
Source: *Fourteen Bagatelles* Op. 6 (1908) / *Quatorze bagatelles,* op. 6 (1908)

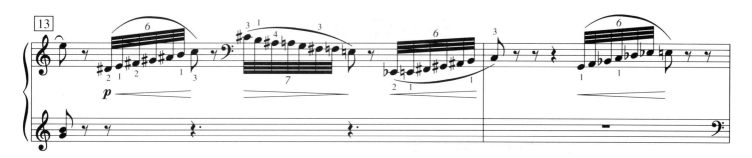

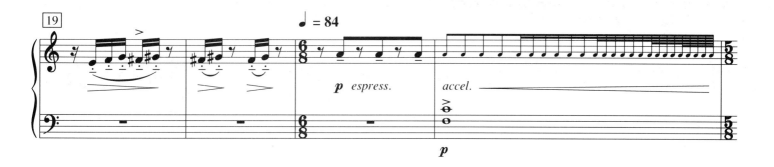

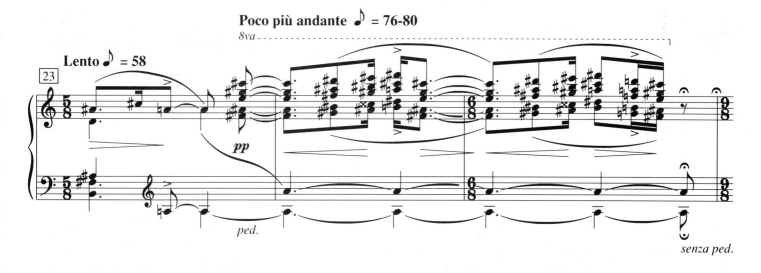

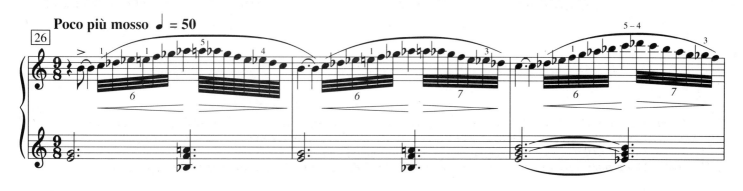

SHADOWS / OMBRES

List E

Barbara Pentland
1912-

ped. al fine

SIX VARIATIONS ON "LAND OF THE SILVER BIRCH"

List E

Pierre Gallant
1950-

Variation II ♩ = 76

(Pedal carefully / pédale avec précaution)

124

126

* The *glissando* is to end with the bass note D. / Le *glissando* doit se terminer sur le ré grave.

ÉTUDE DE SONORITÉ N° 1 / STUDY IN SONORITY NO. 1

List E

François Morel
1926-

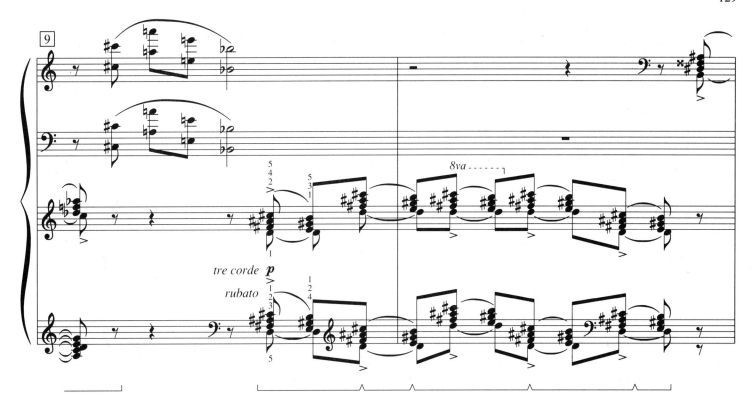

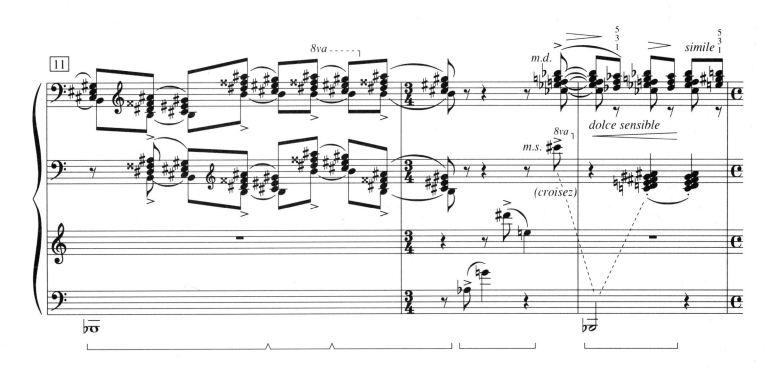

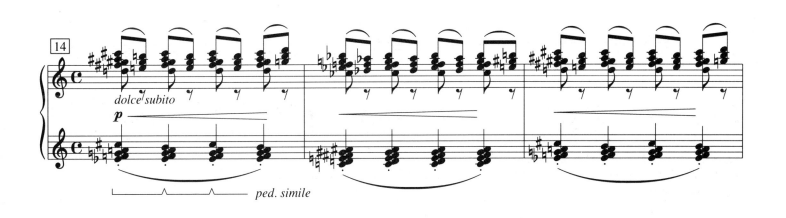

130

PRÉLUDE N°7 / PRELUDE NO. 7

Plainte calme / Gentle sorrow

List E

Olivier Messiaen
1908-1992

Lent / Slowly

pp expressif

(marquez le chant et la voix intérieure / bring out the inner voice)

133

SONATINA / SONATINE
To Lyell Gustin

I

List E

Lyrically and freely / Avec lyrisme et sans contrainte ♩ = 69-72

Robert Fleming
1921-1976

N.B.: *Either* the first *or* the second movement may be played at examinations. / *Soit* le premier *soit* le second mouvement peuvent être joués aux examens.

more motion / plus de mouvement

clearly / clairement

smoothly / légal

(l.h. / m.g.)

*(cresc. 2nd time only /
2ᵉ fois seulement)*

II

Quickly and with spirit / Vite et avec esprit ♩ = 112-126

N.B.: *Either* the first *or* the second movement may be played at examinations. / *Soit* le premier *soit* le second mouvement peuvent être joués aux examens.

ped. simile

gradually slower and softer /
graduellement plus lent et plus doux

140